— QUI —
VA GAGNER?

LE TRICÉRATOPS

OU

LE SPINOSAURE?

JERRY PALLOTTA
ILLUSTRATIONS DE
ROB BOLSTER

TEXTE FRANÇAIS D'ISABELLE FORTIN

◼SCHOLASTIC

L'éditeur aimerait remercier les personnes et les organisations suivantes
d'avoir aimablement accepté qu'on utilise leurs photos dans ce livre :

Page 6 : © Ulrich Joger, au cours d'une expédition au Niger commanditée par le musée d'histoire
naturelle de Braunschweig (Allemagne), 2006; page 7 : © Nigel Roddis/Reuters/Corbis Images; page 14 :
© The Natural History Museum/The Image Works; page 15 : © Bao Dandan/Xinhua Press/Corbis Images;
page 20 : © xijian/iStockphoto; page 21 : © Mengzhang/Dreamstime (en haut); © Tim Evanson/Flickr avec
la permission de Jack Horner, Museum of the Rockies (en bas, à droite).

Remarque de l'auteur :
**Le tricératops et le spinosaure ont vécu sur des continents différents, à des millions
d'années d'écart. Imaginons ce qui aurait pu se passer s'ils s'étaient rencontrés.**

À mes deux nouveaux amis, Sloane et Shane!
—J.P.
Merci à ma mère et à ma grand-mère adorées, qui m'ont toujours encouragé à dessiner!
—R.B.

Catalogage avant publication de Bibliothèque et Archives Canada

Pallotta, Jerry
[Triceratops vs. spinosaurus. Français]
Le tricératops ou le spinosaure? / Jerry Pallotta ; illustrations de Rob Bolster ; texte français d'Isabelle Fortin.

(Qui va gagner?)
Traduction de: Triceratops vs. spinosaurus.
ISBN 978-1-4431-6888-5 (couverture souple)

1. Triceratops--Ouvrages pour la jeunesse. 2. Spinosaures--Ouvrages pour
la jeunesse. I. Bolster, Rob, illustrateur II. Titre. III. Titre: Triceratops vs.
spinosaurus. Français. IV. Collection: Qui va gagner?

QE862.O65P3514 2018   j567.915'8   C2018-900369-3

Édition publiée par les Éditions Scholastic, 604, rue King Ouest, Toronto (Ontario) M5V 1E1.

5 4 3 2 1   Imprimé au Canada 119   18 19 20 21 22

Il y a des millions et des millions d'années, les dinosaures peuplaient la Terre. Que se serait-il passé si un tricératops et un spinosaure s'étaient rencontrés? Se seraient-ils battus? Si oui, d'après toi, qui aurait gagné?

VOICI LE
TRICÉRATOPS

Son nom signifie « tête à trois cornes ». Le tricératops était un dinosaure herbivore qui se déplaçait à quatre pattes. Sa bouche avait la forme d'un bec.

DÉFINITION
Un herbivore est un animal qui ne mange que des plantes.

FAIT DE TAILLE
La queue d'un animal l'aide à se maintenir en équilibre.

LE SAVAIS-TU?
Tous les dinosaures avaient les pattes situées directement sous le corps.

Le tricératops était bien en équilibre sur ses quatre pattes. Il n'avait pas besoin d'une très longue queue.

VOICI LE
SPINOSAURE

Son nom signifie « lézard à épines ». Le spinosaure était doté d'une longue colonne vertébrale d'où s'élançaient de longues épines qui formaient une voile. Il était carnivore.

DÉFINITION
Un carnivore est un animal qui mange de la viande.

FAIT DE TAILLE
Le spinosaure était le plus grand des dinosaures carnivores. Désolé, tyrannosaure, mais tu étais plus petit.

Le spinosaure vivait dans les marais et était sûrement un bon nageur. Sa bouche avait la forme idéale pour attraper des poissons.

PALÉONTOLOGIE

La paléontologie est l'étude du passé lointain des êtres vivants. Comment savons-nous que des dinosaures ont vécu sur Terre? Des paléontologues ont découvert, au cours de fouilles, des os fossilisés (des fossiles) plus gros et parfois très différents de ceux des animaux qu'ils connaissaient.

Voici un fossile de dinosaure qui a été découvert par des paléontologues. Au cours des fouilles, il arrive qu'on ne trouve que des fragments d'os, ce qui rend l'identification difficile.

FAIT
Un fossile est une substance (un os, une dent ou autre chose) qui a été préservée par les roches et les minéraux pendant des milliers ou des millions d'années.

DÉFINITION
Le paléontologue étudie le passé des êtres vivants grâce aux fossiles et aux formations rocheuses.

ARCHÉOLOGIE

Les archéologues creusent pour trouver des villes et des bâtiments anciens enfouis dans le sol. Lors de fouilles archéologiques, ils découvrent parfois des os fossilisés de créatures éteintes.

À quel genre de fouilles préférerais-tu participer? Des fouilles paléontologiques ou archéologiques? Et si tu découvrais un dinosaure, comment l'appellerais-tu?

DÉFINITION

L'archéologie est l'étude des cultures et des peuples anciens au moyen de fouilles.

OUTILS ÉLECTRONIQUES

Pour chercher et trouver des fossiles de dinosaures, on utilise des outils modernes comme les satellites et les sonars.

SATELLITE

Satellite émettant un signal vers la Terre.

SONAR

Scientifique utilisant un appareil qui envoie des ondes sonores vers un fossile enfoui.

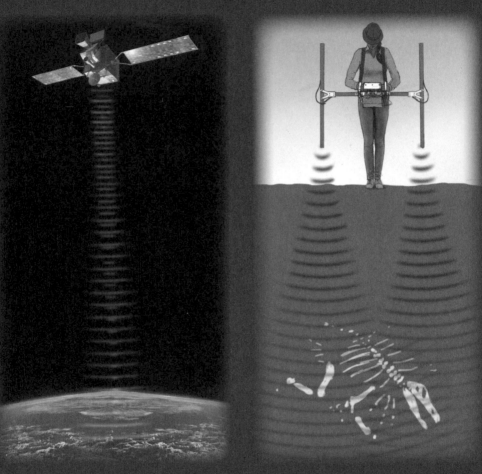

Les impulsions électroniques et les ondes sonores permettent de détecter des anomalies dans le sol. Ces anomalies indiquent où faire les fouilles.

FAIT
On utilise aussi les satellites et les sonars pour trouver du pétrole et du gaz naturel.

AUTRES OUTILS

Il n'existe pas de façon simple d'accomplir une tâche difficile. Tôt ou tard, les paléontologues et les archéologues doivent se salir un peu. Ils creusent avec des pioches, des truelles et des pelles.

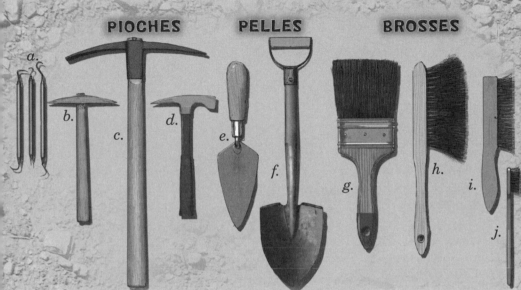

PIOCHES **PELLES** **BROSSES**

Lorsque le travail devient plus minutieux, on met de côté les gros outils pour utiliser des brosses, des loupes et de petits outils afin de préserver les informations précieuses que renferment les fossiles.

OUTILS OPTIQUES

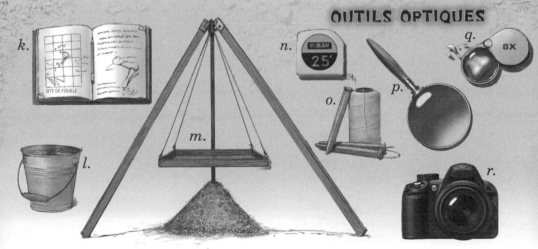

a. Outils de dentiste
b. Pioche-hache
c. Pioche
d. Pioche-marteau
e. Truelle de maçonnerie
f. Pelle

g. Pinceau
h. Brosse
i. Brosse métallique
j. Brosse à dents
k. Journal de bord
l. Seau
m. Tamis

n. Ruban à mesurer
o. Ficelle, piquets
p. Loupe
q. Loupe de bijoutier
r. Appareil photo

GROS

De quelle grosseur était le tricératops? Eh bien, il était *gros!*
Plus gros que la plupart des éléphants. Le tricératops faisait
environ 9 mètres de longueur et 3 mètres de hauteur, et
pouvait peser jusqu'à 12 tonnes.

TRICÉRATOPS

DINO-INFO
*Le tricératops
était plus gros que
l'éléphant d'Afrique,
le plus gros animal
terrestre actuel.*

QUESTION DE POIDS
*12 tonnes sont égales
à 12 000 kilos.*

ENSEIGNANTE

ÉLÉPHANT

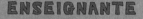

LE SAVAIS-TU?
*Le premier dinosaure
à avoir été nommé a reçu
le nom de mégalosaure.*

IMMENSE

Et de quelle taille était le spinosaure? *Immense!* Il était plus grand qu'une girafe et plus long qu'une baleine à bosse. Il mesurait environ 18 mètres de longueur et pesait jusqu'à 9 tonnes.

SPINOSAURE

ÉLÈVE DE MATERNELLE

GIRAFE

CHASSEURS DE...

Vers la fin des années 1800, deux des chasseurs de dinosaures les plus connus étaient très occupés à chercher des fossiles. Il s'agit d'Othniel Charles Marsh et d'Edward Drinker Cope. Ces deux amis ont fini par devenir de grands rivaux.

FAIT
M. Marsh et M. Cope n'ont jamais trouvé d'œufs de dinosaure.

LE SAVAIS-TU?
Ils n'ont pas trouvé de bébés dinosaures non plus.

— QUI —
VA GAGNER?
M. MARSH OU M. COPE?

JERRY PALLOTTA
ROB BOLSTER

SCHOLASTIC

Ils ont découvert plus de 100 nouvelles espèces de dinosaures. Les deux scientifiques ont fait l'objet de nombreux livres et films.

DINOSAURES

M. Marsh travaillait pour le musée d'histoire naturelle Peabody de l'université Yale et M. Cope pour l'académie des sciences naturelles de Philadelphie. Voici quelques-unes des espèces qu'ils ont découvertes :

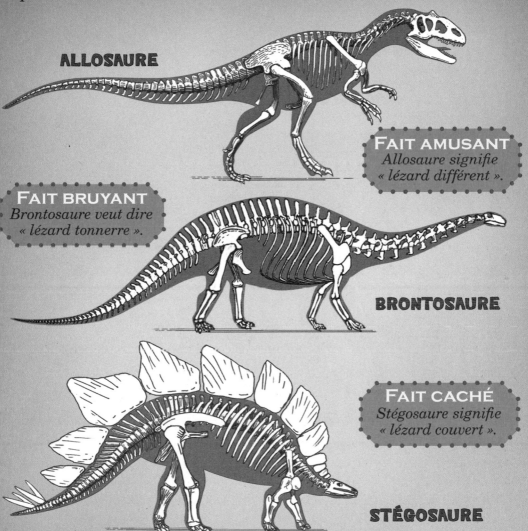

ALLOSAURE

FAIT AMUSANT
Allosaure signifie « lézard différent ».

FAIT BRUYANT
Brontosaure veut dire « lézard tonnerre ».

BRONTOSAURE

FAIT CACHÉ
Stégosaure signifie « lézard couvert ».

STÉGOSAURE

Les os fossilisés qu'ils ont découverts provenaient principalement de l'Ouest américain, plus précisément du Wyoming, du Colorado et de l'Utah.

UTAH, WYOMING, COLORADO — **ÉTATS-UNIS**

13

SQUELETTE DU TRICÉRATOPS

Voici le squelette d'un tricératops. Il a été découvert en Amérique du Nord.

AMÉRIQUE DU NORD

CANADA

ÉTATS-UNIS

MEXIQUE

Observe bien ce squelette, puis pense au tien. Qu'as-tu en commun avec le tricératops? Sa largeur, ses mains, sa queue ou son bec? Non. Quatre membres, des vertèbres et des côtes? Oui! Quoi d'autre?

14

SQUELETTE DU SPINOSAURE

Voici le squelette d'un spinosaure. Il a été découvert au Maroc, sur le continent africain.

MAROC

AFRIQUE

LE SAVAIS-TU?
Par rapport aux autres dinosaures de sa taille, le spinosaure était plutôt mince.

Remarque comme le spinosaure est mince. A-t-il la forme d'un poisson? Examine ce squelette de plus près. Qu'as-tu en commun avec ce dinosaure? Sa voile, ses trois doigts ou sa mâchoire fine et allongée? Non. Ses deux jambes et ses côtes? Oui. Des ongles d'orteils? Peut-être. Quoi d'autre? Réfléchis bien.

DINO-INFO
Le spinosaure n'a été découvert qu'en 1912.

FAIT AMUSANT
Certains animaux n'ont pas de squelette.

CÉRATOPSIENS

Le tricératops faisait partie d'un groupe de dinosaures appelés cératopsiens, qui signifie « visage cornu ».

TOROSAURE

PSITTACOSAURE

LEPTOCÉRATOPS

STYRACOSAURE

PENTACÉRATOPS

THÉROPODES

Le spinosaure faisait partie du groupe des théropodes.
Le giganotosaure, le tyrannosaure et le vélociraptor étaient
aussi des théropodes.

DÉFINITION
Théropode veut dire « pieds de bête ».

GIGANOTOSAURE

TYRANNOSAURE

SALTOPUS

FAIT
La plupart des théropodes étaient carnivores.

VÉLOCIRAPTOR

GALLIMIMUS

DE QUELLE COULEUR?

Aujourd'hui, personne ne sait vraiment de quelle couleur étaient les dinosaures il y a des millions d'années.

FAIT AMUSANT

La couleur est importante. Elle peut aider à se cacher ou à trouver un partenaire. Certaines couleurs absorbent ou reflètent la lumière, ou peuvent même réguler la température du corps.

LE SAVAIS-TU?

Dans les livres et les films, les dinosaures sont souvent de couleur terne ou grise. Il est impossible de savoir si cela est vrai. Les reptiles actuels sont de toutes les couleurs.

Selon toi, de quelle couleur était le tricératops? Dans le règne animal, le mâle est souvent d'une couleur différente de la femelle.

DES MOTIFS?

Il n'existe pas beaucoup d'indices non plus sur les motifs qu'arboraient les dinosaures.

FAIT ZÉBRÉ

Aujourd'hui, on trouve des zèbres, des moules zébrées, des plantes zèbres et des requins-zèbres. Le spinosaure aurait-il aussi pu avoir des zébrures?

MEUH!

Peut-être que le spinosaure avait des taches comme les vaches.

LA SOLUTION!

Est-ce que quelqu'un pourrait, s'il vous plaît, remonter le temps pour nous dire de quelle couleur étaient les dinosaures?

Réfléchis à toutes les espèces d'animaux qui vivent aujourd'hui sur Terre et à la grande diversité de leurs couleurs. Le spinosaure pouvait avoir n'importe quelle couleur et arborer n'importe quel motif.

19

UN GRAND MYSTÈRE

En 1923, on a découvert en Mongolie une couvée d'œufs de dinosaure. Mais on n'avait toujours pas trouvé de traces de bébés ou de jeunes dinosaures.

Cela intriguait beaucoup la communauté scientifique. Où se trouvaient les bébés et les jeunes dinosaures? C'était un mystère.

VOICI JACK HORNER

Jack Horner a découvert son premier os de dinosaure à l'âge de six ans.

Une fois adulte, il a servi de conseiller pour la série de films Parc jurassique.

Il est peut-être le plus grand chasseur de dinosaures de tous les temps.

OÙ SONT LES BÉBÉS?

En 1978, Jack Horner avança la théorie que si les dinosaures adultes et les prédateurs vivaient le long des côtes océaniques, les mères et leurs petits restaient sans doute au pied des montagnes.

Il a donc creusé dans les contreforts du Montana, là où se trouvait la côte il y a 150 millions d'années. Après de longues recherches, il a prouvé qu'il avait raison. Il a découvert une mâchoire de maiasaura qui l'a conduit à un endroit où de jeunes dinosaures de cette espèce avaient grandi. L'examen des fossiles a permis de démontrer que ces dinosaures prenaient soin de leurs bébés.

MÂCHOIRE D'UN JEUNE

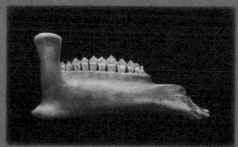

EMBRYON DE MAIASAURA

Jack Horner a aussi été le premier à découvrir un embryon de dinosaure.

VITESSE

Le tricératops n'avait pas l'air rapide. Mais peut-être qu'il courait très vite. Le rhinocéros peut courir à 50 kilomètres à l'heure. Le tricératops atteignait probablement la moitié de cette vitesse.

EMPREINTES

Comment savons-nous à quoi ressemblaient les empreintes de dinosaures? Eh bien, quand les dinosaures marchaient dans la boue ou l'argile, cette boue séchait, puis, après de nombreuses années, se transformait en pierre. Ainsi, les traces de pas étaient préservées.

LE SAVAIS-TU?

Une empreinte fossile est une trace laissée par un dinosaure ou une autre créature vivante qui, avec le temps, s'est fossilisée.

RAPIDITÉ

De nos jours, l'animal le plus rapide se déplaçant sur deux pattes est l'autruche. Celle-ci peut atteindre 75 kilomètres à l'heure. Le spinosaure courait sans doute à environ 30 kilomètres à l'heure.

EMPREINTES

Qu'est-ce que la découverte d'empreintes de dinosaures nous a permis d'apprendre? Que l'absence de ligne entre ces empreintes signifie que la queue des dinosaures ne traînait pas au sol.

FAIT AMUSANT
Si tu vas dans un parc national et que tu y vois des empreintes de dinosaures, c'est que tu marches à l'endroit où ont vécu des dinosaures.

ARMURE DÉFENSIVE

On peut décrire le tricératops comme un herbivore cornu.

BOUCLIER
Sa tête est dotée d'un bouclier protecteur.

CORNES
Il a des cornes pointues.

QUATRE PATTES
*Il est bien en équilibre sur ses quatre pattes,
ce qui constitue un atout redoutable.*

ARMES OFFENSIVES

Le spinosaure est bien armé.

MORDRE
Une longue mâchoire
et des dents pointues
et coupantes.

DÉCHIRER
De longs doigts et
des griffes acérées.

FRAPPER
Une longue queue
pour frapper ou nager
(les scientifiques hésitent
toujours).

Le tricératops est occupé à manger de la verdure. Le spinosaure erre à la recherche de nourriture. Les deux dinosaures s'aperçoivent l'un l'autre. Le tricératops s'en va.

Le spinosaure affamé s'élance vers lui pour l'attaquer. Le tricératops se sauve en courant. Cet herbivore n'a pas envie de se battre.

Le spinosaure rattrape facilement le tricératops et le mord.

Le tricératops se retourne pour faire face à son adversaire. Les deux dinosaures se poussent l'un l'autre.

Le tricératops charge le spinosaure. Les deux animaux se battent férocement.

C'est l'agilité de l'un contre la robuste tête à collerette de l'autre. Les dents et les griffes du spinosaure se heurtent aux solides cornes du tricératops.

29

À proximité, un volcan entre en éruption. Oh non! La fumée est si dense qu'on n'y voit plus rien. Des cendres tombent du ciel.

Les deux dinosaures sont ensevelis sous la lave et les cendres.
Mais que s'est-il passé?

Un million d'années plus tard, nous participons à des fouilles.
Les paléontologues ont découvert des fossiles de dinosaures.
Qui a gagné le combat? Pour le savoir, tourne la page.

QUI AURAIT L'AVANTAGE?
COMPARAISON

TRICÉRATOPS		SPINOSAURE
☐	Taille	☐
☐	Vitesse	☐
☐	Cornes	☐
☐	Griffes	☐
☐	Poids	☐
☐	Armure	☐

Note de l'auteur : La bataille aurait pu se terminer ainsi, mais aussi d'autres façons. Lesquelles à ton avis?